twt lol

EMYR LEWIS

Argraffiad cyntaf: 2018

Rhif rhyngwladol: 978-1-84527-661-4

Mae'r cyhoeddwyr yn
cydnabod cefnogaeth ariannol
Cyngor Llyfrau Cymru.

Golygydd: Angharad Dafis

Cyhoeddwyr: Gwasg Carreg Gwalch,
12 Iard yr Orsaf, Llanrwst,
Dyffryn Conwy, Cymru LL26 0EH.
Ffôn: 01492 642031
Ffacs: 01492 641502
e-bost: llyfrau@carreg-gwalch.cymru
lle ar y we: www.carreg-gwalch.cymru

Argraffwyd gan Wasg Gomer, Llandysul.

twt lol

CERDDI **EMYR LEWIS**

LLUNIAU **ESYLLT ANGHARAD LEWIS**

CARREG GWALCH

er cof

ac er mwyn dathlu

o dir meddyliau dyrys - rwy' weithiau'n
  gweld rhith chwerwfelys
ein rhieni ar ynys
yn iach o hyd a dim chwys.

'wyt ti 'di bod yn hel dodrafn eto?'
A. Kynric Lewis

'blincin beirdd'
Bethan P. Lewis

CERDDI

Dad

     fy nhad cydnerth, fy nhad llawn chwerthin iach,
       fy nhad anghyffredin;
     brwydrwr, arwr, pererin;
     hoff enaid praff. fy nhad prin.

Mam

     fy mam brydferth, fy mam llawn chwerthin rhwydd
       Mam a'i rhoddion meithrin:
     cariad, gwareiddiad, rhuddin
     i bara oes. fy mam brin.

ym Mhenrallt I

ym Mhenrallt rwyf yn alltud,
mor gam yw'r muriau i gyd
heb lais doethineb a lol
ei seren wyneb siriol.
aeth, rhaid hyn, a beth yw'r tŷ
heb warineb i'w rannu?

y mae rhaid ei marw hi'n
mynnu gwaedd mwy na gweddi.
pa lwydd fu dwyn arglwyddes
o'n plith, Ragluniaeth, pa les?
pa werth atal ei chwerthin
ben ei blwydd? pa ddiben blin?

daeth marwolaeth mor wylaidd
daeth heb rwysg, yn fendith braidd,
i ymweld â Dad, ond Mam
â gwg oerlas ar garlam
mewn clip a herwgipiwyd
mewn braw llym un bore llwyd.

fe symudodd, fis Medi,
un Sul, ein holl seiliau ni;
sigo eto, ail sgytwad
mor sydyn yn dilyn Dad.
oer yw'r tân, aeth mwy na'r to
heb ei nawdd â'i ben iddo.

blwyddyn ers marw Dad

mae heddiw'n un flwyddyn flin – a hirfaith
  ers darfod o'r chwerthin
yn rhy frwnt, ond braf yw'r hin
am mai hyf yw Mehefin.

grug eleni
(wythnos ers marw Mam)

> pa felltith roes i tithau – ym Medi
>   ei hymadael hithau
> yr hawl i feiddio parhau'n
> fêl o hyd yn dy flodau?

Wyneb y Môr yn Llawn Cymylau I a II

(o Americaneg Wallace Stevens)

I

Y Tachwedd hwnnw ger Tehuantepec
Llonyddodd llepian llac y môr fin hwyr
Ac yn y bore lliwiai haf y dec

A pheri dyn i feddwl am siocoled rhos
Ac ambarelos aur. Paradwysaidd wyrdd
Roes fenthyg llyfnder i benblethau fyrdd

Peiriant y cefnfor, orweddai fel dŵr clir.
Pwy, wedyn, yn y lledred peraidd hwn
Esblygodd o'r goleuni'r blodau chwim?

Pwy, o'r cymylau, esblygodd y blodau môr
Gan daenu'n y gosteg Tawel hwnnw, falm?
C'était mon enfant, mon bijou, mon âme.

Ymhell islaw'r gosteg, gwynnai'r cymylau môr
Gan symud fel symud blodau, mewn gwyrddni chwil
Ac yn ei belydru dyfrllyd, tra bo lliw

Y nef yn rholio mewn adlewyrchiad hen
O gylch y fflotilau hynny. Ac weithiau'r môr
Dolltai eirys llachar ar y sgleinio glas.

II

Y Tachwedd hwnnw ger Tehuantepec
Llonyddodd llepian llac y môr fin hwyr.
Wrth frecwast, melyn jeli gleisiai'r dec

A pheri meddwl am siocoled siop gig
Ac ambarelos ffug. Roedd ffugiol wyrdd
Yn gap twyll-hafaidd ar densiynau fyrdd

Peiriant y cefnfor, orweddai'n sinistr llyfn.
Pwy, wedyn, welodd gyfodi'r cymylau hyn
A'u brasgam tanfor yn y malais llathr,

Pwy welodd y blodau dŵr a'u meidrol swmp
Yn ymsymud hyd y lloriau dŵr?
C'était mon frère du ciel, ma vie, mon or.

Bloeddganai'r gongiau wrth i fŵmio'r gwynt
'I hŵhŵian hi yng nghaddug blodau'r lli.
Tawelodd y gongiau. A thaenodd y nefoedd las

Ei chrogdlysau grisial ar y môr,
A macabr y diflastodau dŵr
Mewn ymdonfeddiad anferth aeth i ffwrdd.

cenfigen am eira (Ionawr 2018)

mae'n eira 'mhobman arall
yn y byd, eira di-ball:
eira'n storm drwy nos a dydd
fel enaid coll aflonydd.

eira'r dydd, gwehydd o'i go
yn weyllgoll wyn, yn wallgo,
yn nyddu o ddim garthen ddwys
ddiorffen yn ddiorffwys;

eira'r nos yn teyrnasu
eira'n ddawns drwy'r wybren ddu;
eira gwlad dan leuad lwyd
yn wythliw gwyn, yn frithlwyd:

eira'n flin ac eira'n flaidd
yn lluwch araf llechwraidd;
eira i gloi daear gwlad
â gosteg, eira gwastad.

Mistar Bond

dyn swâf yw'r dyn yn sefyll
yn y drws yn cydio dryll
mewn un llaw; menyw'n y llall
(un daer ac o wlad arall
a honno'n sbei 'i hunan sbo).
mae'n oedi, mae'n amneidio
â'i ael chwith gynnil a chŵl
(dibwynt dadlau â Dwbwl
0 Saith).

y dyn cegrwth sydd
o'i flaen yw'r hen filiwnydd,
y badi moel enbydus
yn ei ffau'n chwartiau o chwys,
ac andros yw o gandryll
yn syn heb ei henshmyn hyll,
heb yr un o'i birrhanas,
na'i beiriant chwim brwnt a chas
sy'n chwyrnu wrth sbaddu sbeis
a bwyta'u dici-bo-teis.
yn ei dymer daw dim-ond
dau air o'i ben: 'Mîstar Bond!'

cyn hir, wedi rhoi i'r cnaf
ryw lol o ffarwél olaf
rhyw gwip o hiwmor llipa –
'twt twt, dal d'afael, ta-tâ' –
ceir Bond yn y Caribî'n
tyner ysgwyd Martini,
yna'n troi, fel pob un tro,
yn sinigaidd i snogio.

rhydd yw Bond; rhydd yw y byd
o deimbom badi embyd.
hwn yw'r un a'n ceidw'n rhydd
yn gŵl a digywilydd.
rhyddid yw ei drwydded o:
y rhyddid i lofruddio.

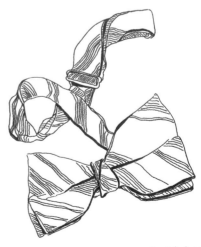

Bryn Telych[*]

lle tawel oedd Bryn Telych,
caeau da lle cedwid ych,
yn heddwch coll blynyddoedd
maith yn ôl, amheuthun oedd,
a rhyw hud anghyffredin
i'w borfa fras braf ei rhin.

ar awel fwyn Bryn Telych
melysed oedd clywed clych
hudolus eglwys Deilo
yn glir frwd, yn galw'r fro
i ddilyn trefn addoliad
hynafol y Dwyfol Dad.

roedd potel ym Mryn Telych
wedi shifft ar ddiwrnod sych,
wedi'r cerdded sychedig,
'rhewl yn ddwst a'r haul yn ddig,
draw o gur Felindre'r gwaith,
yn haf hen y cof uniaith.

mae hotél ym Mryn Telych
a ffair lle porasai'r ych;
aeth heddwch amaethyddol
nawr yn hafoc *rock and roll*:
daw'n amal i gynnal gig
Abba! (neu rywbeth tebyg).

y mae jél ym Mryn Telych
ar wallt, ac mae cwiff a rhych,
daw Elfisiaid yn heidiau
i roi cân cyn amser cau:
'boed i bawb ei dedi-bêr
heno, a chariad tyner.'

mae cornel ym Mryn Telych
heno'n graig i'r awen grych:
ar y ffin â'n gorffennol
ydym o hyd, y mae ôl
ein doe i'w ganfod o hyd
hyfwch hen hafau hefyd.

a dychwel i Fryn Telych
ei enw iawn heno'n wych.

---

* Ym Mhontlliw, saif adeilad a oedd, cyn ei droi yn fwyty Indiaidd yn
dafarn. Y *Glamorgan Arms* oedd yr a enw roddwyd ar y lle rywbryd yn
ail hanner yr ugeinfed ganrif. Cyn hynny, yr enw ar y dafarn a'r lle ers
canrifoedd oedd Bryn Telych, a dyna mae'r Cymry Cymraeg lleol yn dal i'w
galw hi. Cyfansoddwyd y cywydd hwn ar gyfer stomp a gynhaliwyd yno yn
ystod y cyfnod *Glamorgan Arms*, pan oedd yn enwog am berfformiadau
tribute bands. Ceir cyfeiriad at Dir Telych yn yr enghraifft hynaf o Gymraeg
ysgrifenedig yn llyfr Llandeilo Fawr. Er cof am Meurig Petherick, Felindre.

yn Berlin

yn Berlin mae llwybrau loes
y cof yn strydoedd cyfoes,
hanes drom ei dinistr hi,
ei hôl gwaed, ei hailgodi,
ôl y cŵn a'r heddlu cudd,
ôl chwalu ei chywilydd.

cledrau'r U-Bahn yn canu,
trên yn nesáu, taran, su,
brêcs yn gwichian, clecian clên
y drysau'n Friedrichstrasse'n
agored i bob gwerin,
a bwrw ei loes mae Berlin.

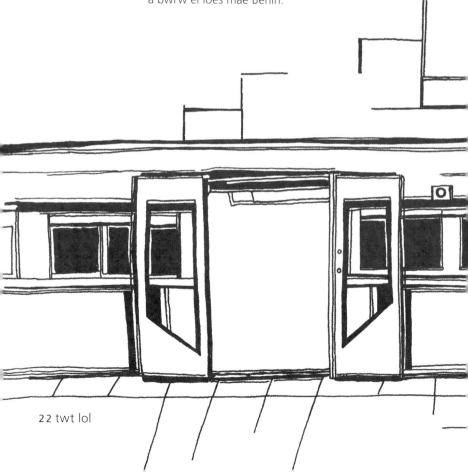

Prifwyl 2017

os oes baw a glaw ar gledd – os oes mwd
   dros y Maes yn gorwedd,
os oes cors yn lle gorsedd,
y mae o hyd waedd am Hedd.

Haf 2017

mae Hedd Wyn yn meddiannu – ein heddwch
   yn nyddiau'r gwahanu,
a henwyr blin yn rhannu
i'r to iau gadeiriau du.

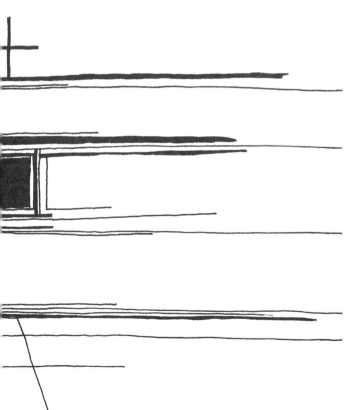

prowd

rydwi'n browd iawn o Brydain – yn cychwyn
   yn ein cwch ein hunain
gan fynd dan faner Llundain
yn chwim rhag Ewrop a'i chwain.

rydw i'n wir Brydeiniwr – ym mynwes
   ei llynges rwy'n llongwr.
rhad yw siarad. wyt ti'n siŵr
frawd nad wyt tithau'n fradwr?

gyfaill, be wyt ti'n fwyta? – *ratatouille?*
   tarte tatin? moussaka?
wiener schnitzel? paella?
pintxos? gnocchi? peitits pois?

dywed ar beth wrandewi – ai *mezzo*'n
   canu Mozart? Verdi?
Edith Piaf mewn caffi?
ai Bach? ai Ludwig van B?

hefyd, pa beth a yfi? – cwrw Tsiec
   ar y tsiep? ai brandi?
ai dracht o Guinness neu dri?
ai (mwy peraidd) Campari?

amau a wnaf bob llymaid – pob tiwn,
   pob tenor, pob tamaid.
yma yn rhydd, mae hi'n rhaid
pŵpŵio Ewropeaid.

tyllau

bydded twll

gem a roed i'r Gymru rydd,
dyluniad o lawenydd,
ein seiat ddemocrataidd,
a'r goleuni drwyddi draidd
yn drylowyder i wleidydd,
i'r henwlad yn doriad dydd.

i fod. mae'r lle nas codwyd,
yn dwll oer, yn ofod llwyd.

nid oes bricsen eleni
yn nhwll ein Cynulliad ni.
heb ei em mae modrwy'r Bae
a llanast yw'r cynlluniau.

tu hwnt i'r traciau

yn Nhre-biwt, yn nhir y byw,
yn hagrwch hardd unigryw
hen gymuned blethedig
y gwyn a du, gwên a dig,
y mae trac bwrlwm y trên
yn hollti'r lle fel mellten.

mae dau fae, y mae dau fyd:
lle'r galon, a lle'r golud.
y lle sy'n rhannu'n lliwiau,
a lle balch deglliw y Bae.

yr oriel

dyma dy ran, tyrd am dro
i weld rhai taer di-ildio,
yn eu twll yn gwyntyllu.
wele, o fraint yr oriel fry
ar dy din 'da'r werin wâr,
y ceiliogod yn clegar.

simdde

mae ein coed yma'n codi
yn uwch na'n dadleuon ni
i ollwng ein stêm allan
drwy'r mwg at yr adar mân.

y ddadl

ai nyth ein gobeithion ni
glanwedd a llawn goleuni?
ai lle gwag sy'n dwll i gyd
lle afiach, tywyll hefyd?
pa un? os wyt ti'n poeni
dos dy hun, a dewis di.

Castell Dinefwr 29.12.17

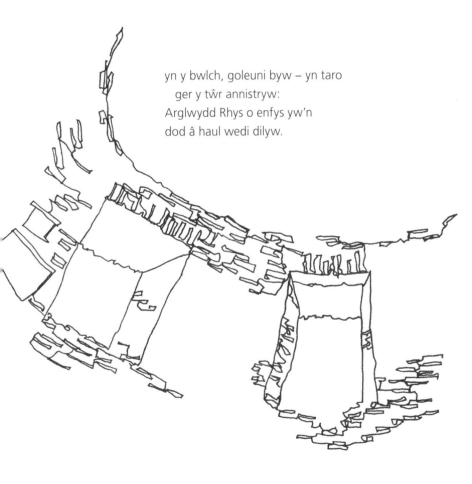

yn y bwlch, goleuni byw – yn taro
  ger y tŵr annistryw:
Arglwydd Rhys o enfys yw'n
dod â haul wedi dilyw.

yn Arberth

yma wyf ym Mehefin – yn y parth
   lle'r oedd Pwyll yn frenin,
yn Arberth, lle llawn chwerthin
a brawl, ond Cymraeg yn brin.

Dinbych y Pysgod

wedi i mwrc weld y mur, yr adwy
   i'r strydoedd bach difyr,
naws y bae ac Ynys Bŷr,
'teidi' medd Harri Tudur.

dianc

cwatwn fel Twm Siôn Cati – yn y graig
   ger rhyw ogof handi,
heb neb i'n distyrbio ni
yntâ, ond Afon Tywi.

gwarineb cenhedloedd

rhyw haenen yw gwarineb – cenhedloedd,
   cawn adlais casineb
y dyrnu hyll dros dir neb
yn haenau dan y wyneb.

Mr Howard

yma o hyd yn ymhél – â chynnen,
   gan grechwenu'n dawel,
mae hen ŵr yn mynnu hel
y criw ifanc i ryfel.

calan 2005

calan blêr, calan perig, calan llosg,
  calan lludw Amerig,
calan o dân, calan dig:
gelyniaeth yn galennig.

mynd am dro 14.4.18

Afon Lliw heddiw yw hon – un lawen,
  dryloyw, heddychlon
a braf, ac anghofiais, bron,
y distryw mewn gwlad estron.

Gardd Heddwch Comin Greenham

ni flagura rhyfelgarwch – yno
  na chwyn barbareiddiwch
na drain milwriaeth yn drwch:
gwreiddio mae blagur heddwch.

Pantyrawel
(darn o waith Elfyn Lewis)

pe bawn i'n mynd yno
a welwn i hyn,
petryal du'n gwthio
drwy'r gofod gwyn,

rhaeadrau rhewedig
o wydr tawdd
yn obelisg gwledig
o glawdd i glawdd?

er bod fy ngolygon
yn frychni i gyd,
rwy'n hoff o fanylion
ymylon fy myd,

ond ym Mhantyrawel
roedd rhywbeth ar waith.
nid es, ac ni welais
a wela'i ddim chwaith.

mêl

'sgwn i pam nad oes gwenyn – eleni
   yn glanio ar flodyn?
yn araf bydd Haf ei hun
farw, fesul diferyn.

rhegi

cer i regi o'r creigiau ar y môr
   a grym hallt y tonnau;
rhegi, rhegi, i fyrhau
y dydd, cyn diwedd dyddiau.

dim dianc

pan na fydd ond Pen y Fan yn aros
   oherwydd bod pobman
yn y môr, ie pob un man,
uwch y dŵr fe glywch daran.

niwl yn Nhresaith

daw'r mur llwyd o'r môr llydan gam wrth gam
   drwy'r gwyll, ac ymrithia'n
eneidiau Manawydan
a'i lu oer yn dod i'r lan.

glaw

mewn dyddiau mwy na diddim
o dywydd hesb da i ddim
a sbwriel brys y bore'n
llonydd, llonydd hyd y lle,
a dail blêr lond cwteri'n
grimp a sych a chrych a chrin;
o rywle cudd siriolach
ymhell bell, daeth anadl bach,
esgus o awel ysgafn;
yna dim; yna un dafn,
cyn diwel digyffelyb.

a daeth y glaw'n fendith gwlyb.

bore llwyd

bore llwyd heb wawrio llydan – y cof
   mewn lle cyfyng, bychan,
toeau hyll y tu allan,
bore cul heb eiriau cân.

Wencilian*

i dy fyd llawn defodau,
yn y gell a'r drws ar gau,
a chwythodd rhyw chwa weithiau
yn llam yn dy gannwyll wêr?

a oedaist uwch dy bader
             yn stond?

    a glywaist di ar
y trawswyntoedd trwy'r seintwar
yn ddistaw iawn, yn ddwys dynn,
nodau alaw un delyn,
a'i llais uwch defod a llw
gwylaidd yn mynnu galw
yn dyner iawn, dy enw?

* yr enw a roddwyd ar y dywysoges Gwenllian yn Abaty Sempringham.
Cyfansoddwyd y gerdd ar gais Llio Rhydderch i gydfynd â lansio ei CD *Gwenllian*.

cau'r capel

> er gwaetha'i oed, nid oedodd cyn ei gloi,
>   ond cau'n glep. pesychodd;
> aeth ar ei hynt, ac ni throdd,
> am mai Duw ymadawodd.

Pinochet

yn dy wely cyn 'Dolig, yn rhywle'n
 dy farwolaeth unig,
a synhwyraist adlais dig
eneidiau'r Diflanedig?

i ragrithiwr o wleidydd

a yw bywyd y beio – yn fywyd
 gwerth ei fyw? ti'n licio
deud y drefn, ond daw dy dro
dithau i gael dy wthio.

Ffynnon Iago

boed i bawb yn y byd y bo – syched
 fel hen sachau arno
roi ar brawf holl gwrw bro
anhygoel Ffynnon Iago.

buddugoliaeth (i Gavin Henson)

bydd holl dwrw pwpŵian – oes oesol
 y Saeson a'u hisian
fawr o dro cyn peidio pan
wisgi di'r esgid arian.

fel y mae ar Foel y Mwnt

tra bydd llamhidydd yn y môr
a thra bo'r môr ger Foel y Mwnt,
tra rhed y plantos ar y traeth,
bydd angau a'i beiriannau brwnt
yn arfer pŵer Aberporth
i lunio poen rhyw elyn pell
mewn rhyfel dirgel dros y dŵr.

a dyna wnaiff ein byd yn well.

Gerallt

ein cof hir, ein cyfarwydd,
cyhuddwr rhag heddiw rhwydd;
y cri rhybudd, y crebwyll,
y cnoi daint rhag hunan-dwyll;
y gwyliwr diymgeledd,
ein Prifardd a bardd ein bedd.

y dur bach, cystwywr beirdd,
maen prawf y mini-prifeirdd;
ein mesur anghysurus,
ein cerydd, ein llywydd llys.
mae gwacter lle bu Gerallt,
y ddawn dweud oedd yn ein dallt.

ym Muallt

y mae o hyd ym Muallt – o leiaf
  y glaw'n dal i dywallt
yn ddwys, yn wirionedd hallt:
dafnau, a geiriau Gerallt.

Grav

mae'n dawel yng Nghydweli – a'r Strade,
  ar strydoedd Llanelli,
ar y Mynydd a'r Meini
mae'n dost heb dy gwmni di.

gwaddol Emyr Oernant

er inni golli'r wyneb – llawn heulwen
  llawn hwyl, ei wreiddioldeb
ddeil yno, na wado neb,
a thywynnu'i ffraethineb.

'dan ni'n feirdd!

Blaenau Gwent yw maes blin gwrdd,
blin goffa beirdd, blin gyffwrdd,
dan ysgwyd llaw yn dawel,
deud 'su' mae, ffrindiau?' 'ffarwél.'
ysgwyd llaw: 'sut mae'r awen?'
ysgwyd llaw, ond sigwyd llên.

Blaenau Gwent, lle blin o'i go;
be wnawn heb Iwan yno?
rhuo i'r nos ein dicter ni,
rhwygo'r awyr â'n rhegi,
hau mellt a medi melltith
heb chwerthin ein brenin brith?

na, gwell yw troi at ein gwaith
na galar a rheg eilwaith:
dod ynghyd, ymdynghedu
''dan ni'n feirdd!' dyna a fu.
od yw bywyd heb Iwan
ym Mlaenau Gwent. 'mlaen â'i gân!

wela'i di'n Steddfod

     torri amod tro yma, Iwan bach
       rhown y byd a'i betha
     myn duw am dy gwmni da:
     yr angen am Tjuringa.

croeso i'n bro

sbwriel ar bob cornel.

ci'n synhwyro.

nos yn oeri.

papur sgrap ar wasgar.

oel ar y stryd.

ergyd.

argoel o chwys dros arogl chwd.

awyr wag lle mae ffrwgwd wedi bod.

mae ffenest bar yn dameidiau.

dim adar.

teimlaf lygaid yn gafael
yn fy ngwar, ac yn fy nghael
yn brin, brin.

hon yw eu bro
galed, ac maen nhw'n gwylio.

petrus gam

petrus gam lle brasgamwn:
gyda'r wawr mae sawr a sŵn
a nwyon trwm o'r newydd
yn ara deg fygu'r dydd,
a thwrw'n darth, aer yn dew,
yn geir solet, gwres olew.

cerddaf ar lan yr afon
heddiw'n swil, a'r 'ddinas hon'
yn ddinas na feddiannaf
mohoni chwaith, am na chaf
ynddi hi'r un esmwythâd
erbyn hyn, nac eneiniad.

dan warchae

mae Rhagfyr wrth ein muriau yn gwgu
   a hogi ei arfau,
ei lu yn claddu'r cloddiau
i gyd, ac mae'r lôn ar gau.

fel y daeth ein dwy fil a deg – yr aeth
   yn rhew ac yn osteg;
iâ ac eira yn garreg
a'r daith yn un ara deg.

Rhydfelen

> dof i wylo'n Rhydfelen – heb ei gweld
>   pob gwers wedi gorffen,
> pob hwyl, pob egwyl ar ben:
> dof i wylo'n Rhydfelen.
>
> dof i arddel Rhydfelen – â'i henw
>   a'i hanes heb orffen.
> dof rhag angof, dof â gwên:
> dof i hawlio Rhydfelen.

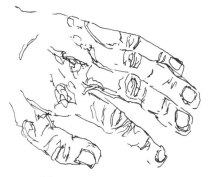

trosedd

hyd y wlad dan leuad wlith
daw lladron hud a lledrith
yn ofalus o filain,
sydd am hel, â'u bysedd main-
barrug-gwyn, holl asbri'r cof
a dwyn fy myd ohonof.

a mi mewn stad ofnadwy'n,
ddigalon fel plismon plwy
heb weld 'rôl trwmgwsg boldew
ond ôl rhaib y dwylo rhew,
gwirionedd hallt y gwallt gwyn
a'r breuder bore-wedyn.

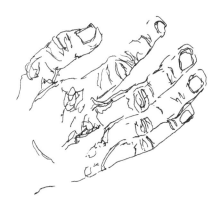

Hogia Llandegái

mae'n ffaith ddiddorol, er nad ydyw'n sgŵp
'mod i'r un oed â Hogia Llandegái;
nid yr hogia eu hunain, ond y grŵp,
er bod rhyw chwe mis rhyngom, fwy neu lai.
flwyddyn ein Harglwydd mil naw pumdeg saith,
rywle'n y gogledd, gwelwyd toriad gwawr
criw sgiffl Llandegái, a chychwyn taith
Tom Emyr bach drwy'r byd yn Llundain fawr.

yn ddeuddeg oed, a thra soffistigedig,
gwelais nhw'n fyw, os ydwi'n cofio'n iawn:
Now, Nev a Ron a Roy a'u hiwmor gwledig,
a festri capel yng Nghaerdydd yn llawn.

os ydwi'n cofio'n iawn, ond dwi'm yn siŵr,
jest cyn i'r Bara Menyn godi stŵr.

tŷ ni

yng ngwyntoedd croes yr oesoedd-
pell-nôl, cwympo allan oedd
rhwng Cymro a Chymro chwyrn,
ceidwaid Ynys y Cedyrn,
diawl o genedl y gynnen.
diawl ie, ond cenedl hen!

ac roedd rhai'n ei harwain hi
a'i gwerin, dyma gewri
neuaddau crand, bonedd cryf.
onid oes rhai'n eu deisyf
o hyd? cans nhw yw hyder
a bling ein traddodiad blêr.

ie, bling ein traddodiad blêr:
tywysogion tai swager
drud. chym'rodd hi fawr o dro
iddynt ymNormaneiddio.

mor rhwydd aeth ein harglwyddi,
nawdd ein hiaith, ein bonedd ni,
yn Saeson yn oes oesoedd,
a dyna ni, cans dyna oedd
realpolitik, licio
neu ddim. dyna ydoedd o.

heb neuaddau bonheddig
i'n dal, cafodd ein dal dig
cynhenid, blin, cynhennus,
anheddau llai, heb nawdd llys.

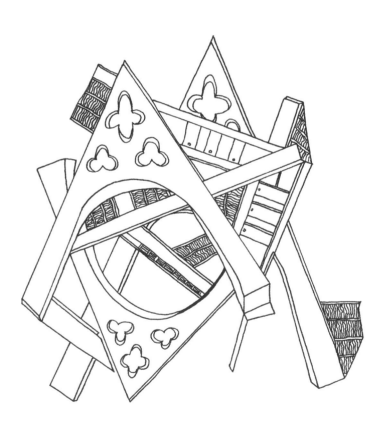

yn gecrus a hapusach,
ein byd yn gapeli bach
cain, yn dafarnau cynnes,
yn llawn o neuaddau lles:
a'n gwerin yn bwyllgorau
yn hoffi rhwyg, hollt a ffrae.

ac roedd rhai'n ein harwain ni
o hyd, yn dal i godi'n
rhy hawdd yn gadeiryddion:
rhai cîn i ddianc rhag hon,
a lawr y *Great Western line*
i holl lendid pwdr Llundain.

ond y mae Senedd heddi
yma yn awr gennym ni,
a rhown glod i'n tŷ pren glân
ifanc, tŷ cenedl gyfan:
ein tŷ balch yng ngwynt y Bae
a wnaed gan gymunedau,
ac yn ei siambr drigain sedd
arweinwyr mewn gwirionedd.
dyna dwym. down dan ei do
a pharhau gyda'n ffraeo.

rheitiach

rheitiach yw biwrocratiaid
Brwsel na rhyfel di-raid
gwladweinwyr gwael dienaid.

rheitiach yw biwrocratiaeth
Brwsel na rhyw gornel gaeth
ar ynys gwag-sofraniaeth.

rheitiach trefn fiwrocrataidd
dawel Brwsel na bod braidd
yn ôl-imperialaidd.

dau englyn braidd yn grac

democratiaeth go iawn

ailystyried? tro pedol? oferedd.
  llefarodd y bobol
un tro, a nawr sdim troi nôl:
clawdd terfyn celwydd torfol.

sofraniaeth o'r diwedd!

o greu ffiniau'r gorffennol – yr eilwaith,
  rheolwn, rhag pobol,
ein tir ni, a'u troi'n eu hôl:
clawdd terfyn celwydd torfol.

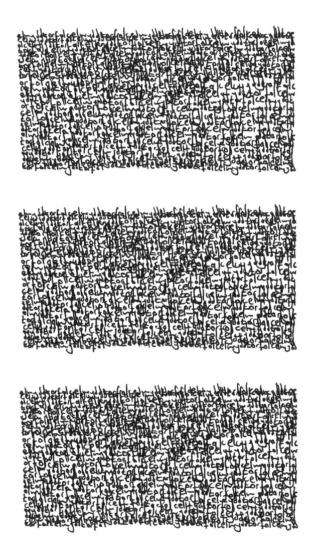

prolog

dewch, fel y nos,
o stryd i stryd
mewn sgidie mawr melfed
yn ara bach;
mae pawb ond y môr
yn gorffwys i gyd:
saint, pechaduriaid,
gwerin a chrach.

clywch, fe ddaw sŵn
y wawr cyn hir
yn lleisiau mawreddog
yn sibrwd mân;
a'r pentref yn llawn
o gelwydd a gwir,
cecru cariadon,
gweddi a chân.

sleifiwn 'da'n gilydd,
drwy'r drysau clo,
yn lladron amser
a llithro drwy'r tai,
lle mae pawb yn gyfiawn
mewn cwsg, dros dro,
ac mae 'na dangnefedd,
mwy neu lai.

Cerdd

(o Americaneg Frank O'Hara)

mae Lana Turner 'di colapsio!
o'n i'n trotian heibio ac yn sydyn
ddechreuodd hi fwrw glaw a bwrw eira
a deudist di ei bod hi'n bwrw cenllysg
ond mae cenllysg yn dy hitio di ar dy ben
yn galad felly go iawn bwrw eira oedd hi a
bwrw glaw ac o'n i ar gymint o frys
i gwarfod efo ti ond roedd y traffic
yn actio jest fatha'r awyr
ac yn sydyn dyma fi'n gweld pennawd
MAE LANA TURNER 'DI COLAPSIO!
sdim eira yn Hollywood
sdim glaw yn Califfornia
dwi 'di bod mewn lot o bartis
ac wedi actio'n berffaith ddigwilydd
ond dwi rioed wedi actiwali colapsio
o Lana Turner 'dan ni'n caru chdi cwyd

Rhagfyr 2007

mae Rhagfyr yn blaguro yn ei ddail.
  ni ddylai. dwi'n teimlo
ofn y gwraidd sy'n fyw'n y gro,
ofn y gaeaf yn gwywo.

Rhagfyr 2008

er rhoi egni i rwgnach am bob dim
  bob dydd, dathlaf bellach:
mae 'di bod ryw damed bach
yn fwy oer, yn Rhagfyrach.

o'r diwedd

er arafed, daeth rywfodd yn wanwyn
   eleni. cyrhaeddodd,
a thyfu mae (wrth fy modd)
ein briallu. Ebrillodd.

grawnsypie

siapio mae ein grawnsypie – erbyn hyn
   ar bnawn o Fai deche:
y mae tywydd Cwm Tawe
mor dwym ag yw Môr y De.

gwella

bu'r flwyddyn yn blentyn blin ac anodd
   drwy'r gwanwyn anhydrin;
eithr aeth yn haws ei thrin
ym mihafio Mehefin.

gŵyl

pan fo'n Rhagfyr didostur du, a bydd
  bwci-bos y fagddu'n
gweithio'u tawch i fygwth tŷ,
daw gŵyl i'n diogelu.

Dolig

drwy'r boen sydd yn crwydro'r byd – drwy'r felan
  drwy ryfeloedd gwaedlyd
drwy oerfel dyddiau celyd
deil gwên y Dolig o hyd.

nytmeg

y wyrth o blant yn chwerthin yn annwyl,
   a ninnau'n troi'r pwdin;
ogla nytmeg drwy'r gegin,
a choflaid, a gwydraid gwin.

Fronifor

trochion geirwon yw'r goror ar y Sul
   yn Nhresaith, wrth wylio'r
creigiau du yn malu'r môr
o hafan glud Fronifor.

mae haul twym ola tymor ein gwyliau'n
   ein galw i grwydro'r
bore mas hyd lwybr y môr
i nofio, o Fronifor.

gwahanol (Rhagfyr 2016)

mae'n gynnes, ac mae hi'n ganol gaeaf
   ag awel wahanol
heno'n dod dros fryn a dôl:
un ry fwyn, un derfynol.

englyn calan 2018

sŵn bore gwlyb, sŵn bwrw glaw – sŵn trais,
   sŵn trwmp ym mhob alaw,
sŵn bwlshit brexit, sŵn braw.
dyna ddwy fil a deunaw.

i gyfarch John Thomas
(ar ei ymddeoliad fel Arglwydd Brif Ustus)

> yn y drefn o gadw'r hedd – mae yno,
>   er mwyn cael cydbwysedd,
> ran i glorian ac i gledd
> ac i awen Cwmgïedd:
>
> awen sy'n rhoi goruwch sŵn rheg – ei le
>   i lais clir rhesymeg;
> yn wyneb ymffrost, gosteg;
> uwch rhuo taer, chwarae teg.

Mr Gove

mawr yw'r gwarth i'r ffermwyr gael – (a dychryn
   yn dechrau dal gafael)
Mr Gove fel Meistr gwael:
mwydyn o blaid ymadael.

Mr Davis

'mae rhai,' medd Dai-siarad-wast – 'am oedi
   rhag ymadael gorffast,
ond rhai sy' moyn mynd ar hast,
ni'r cynllwynwyr, cŵn llanast.'

Siwan ac Arek

y mae'r byd o Gymru i Bwyl – i gyd
   am gadw uchelwyl
Siwan ac Arek annwyl
dwy wlad o gariad mewn gŵyl.

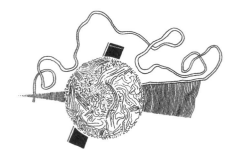

Gwenddydd a Myrddin
(i gyfarch Jerry Hunter)

> ar hyd lôn hir chwedloniaeth golledig
> a'i lludw'n ymyrraeth,
> rŵan y ddau grwydryn ddaeth
> i anheddau llenyddiaeth.

trên arall
(i gyfarch Osian Rhys Jones)

> pob enaid coll, nid yw'n gollwr. mae gras.
> mae greddf. mae dy arwr-
> dinas-oer, rydwi'n o siŵr,
> Osian Rhys, yn oroeswr.

torrodd y don

        y mae'r benbleth a'm llethai – y mae rhaid
          fy mhryder a'm lloriai
        yn olion trochion y trai
        efo'r don a'm syfrdanai.

Dafydd Wynn (Wyn Mangion) 1958-2015
(peiriannydd, mynyddwr, *bon viveur* a dyn ei deulu)

> y mae, am fod dyfodol – wedi hyn,
>   wedi her fawr ingol
> dy golli di, ar dy ôl
> her newydd, gadarnhaol.

cywydd croeso Eisteddfod Genedlaethol Abertawe 2006
(a gynhaliwyd ar hen faes dur Felindre)

mae rhai'n gweld marw o hyd
a chwalu diddychwelyd
gweld diwedd ym mhob heddiw
dadfeilio bro, agor briw,
môr yn llwyd a Chymru'n llwch,
yn dir wast ac yn dristwch.

ar draed dawns ar doriad dydd
down ni'n Gymreictod newydd,
law yn llaw, yn ferch a llanc,
dawns haf mewn dinas ifanc,
a heulwen iach welwn ni,
heulwen yn euro'r heli.

o stryd i stryd, dawnsio draw'n
drydanol drwy Dirdeunaw'n
iachus, a sain clychau Sant
Cyfelach yw'n cyfeiliant;
a down, o ganol dinas,
at dir gŵyl hardd, ger tir glas,

a gweld Felindre i gyd
yn ifanc ifanc hefyd:
Llety Morfil, Bryn Whilach
yn fyw, Abergelli Fach,
Tair Onnen hyd Lwyn Gwenno,
yn brawf o gadernid bro.

a dewch i ddawnsio drwy'r dydd
'da ni'r ieuenctid newydd;
dawns a hwyl nes daw hi'n sêr;
dewch a chodwch eich hyder;
dewch a gweld hyfrydwch gwâr,
a gweld gŵyl, nid gwlad galar.

mi af oddiyma...

Hafod Lom yn fyd o liw,
meini'n frith a'r simne'n friw,
cen yn addurn cain heddiw.

Hafod Lom, aeddfed o lun,
am mai harddach yw murddyn
a dail, lle na welir dyn.

Hafod Lom. anghofiwyd loes
ddi-haul rhai dreuliodd eu hoes
daer yno'n brwydro'u heinioes.

Hafod Lom, ddi-fwyd, lymed
eu dull hwy, eu hyd a'u lled,
ar yr ymyl cul caled.

Hafod Lom, cofadail ing
a hirlwm. lle heb ffyrling
i'w hildio. the poor holding.

poor holding? pŵer eildwym
geiriau o hyd i greu rhwym.

clyw'r gân, a chlyw wres tân twym
hafod cymdeithion ifainc,
lle, hyd fore, ar y fainc
bydd dathlu, bydd canu cainc.

Hafod Lom, siwrne drom draw?
ie glei, ond er gwynt, er glaw,
mae gŵyl a fflam ac alaw.

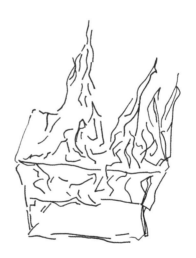

ym Mhenrallt II

ceudod lle byddai cadair
a gwên a phaned a gair.
dwi'n gwybod, daeth cyfnod cau
tŷ oer sy'n llawn gwacterau,
deud twt lol un tro olaf,
dal nôl, ond ymadael wnaf.

twt lol 79

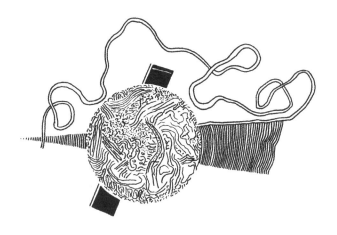